Doggy Claus
Perro Noel

Written by Derek Taylor Kent

Illustrations by Lynx Animation Studios

Spanish Translation by Teresa Verduzco

Books by Derek Taylor Kent:

El Perro con Sombrero (ages 3-8)
Simon and the Solar System (ages 4-9)
Counting Sea Life with the Little Seahorse (ages 0-5)
Principal Mikey (ages 7-12)
The *Scary School* Series (ages 7-12)
Kubrick's Game (ages 13+)

DOGGY CLAUS / PERRO NOEL
By Derek Taylor Kent

www.WhimsicalWorldBooks.com
www.DerekTaylorKent.com

Library of Congress Cataloging-in-Publication Data
Kent, Derek Taylor
Doggy Claus / Perro Noel: A Bilingual Holiday Tale / Derek Taylor Kent : Illustration by Lynx
Animation Studios : Translated by Teresa Verduzco — First edition.
34 pages   25,4 x 20,32 cm
Summary: Jingle wants to deliver presents to all the dogs in the world, but are presents what they
really want?
ISBN: 978-0-9995554-3-9 (hardcover)
1.Dogs—Juvenile Fiction   2. Christmas—Juvenile Fiction   3. Pet Adoption—Fiction

Whimsical World books may be purchased for business or promotional use. For information
on bulk purchases, please contact Whimsical World sales department at
Sheri@SheriFink.com or Derek@DerekTaylorkent.com.

First Edition—2018 / Designed by Lynx Animation Studios
Printed in China

Jingle the puppy was found on the front step of an animal shelter
at the beginning of Fall.
Jingle el perrito se encontró en el frente de un refugio de animales
al comienzo del otoño.

When Christmas arrived he asked the other dogs,
"When will we get our presents?"

Cuando llegó la Navidad les preguntó a los otros perros
–¿Cuando recibiremos nuestros regalos?

They said, "Dogs and cats don't get presents. Only people do."

Ellos dijeron, –Perros y gatos no reciben regalos. Eso es solamente
para la gente.

That made him sad, but the other animals, who had been there longer than him, looked even sadder. So he decided to try to cheer them up.

Eso lo puso triste, pero los demás animales, que habían permanecido allí mas tiempo que el, parecían aún más tristes. Así que decidió tratar de animarlos.

He danced on two legs.
Bailó en dos patas.

He chased his tail.

Persiguió su propia cola.

He even howled with the Christmas carolers.

Asta aulló con los cantantes del coro Navideño.

It didn't work.

No dio resultado.

However, at that moment, Santa Claus happened to be flying overhead.
"Ho Ho! Now there's a pup with real Christmas spirit," he bellowed.

Sin embargo, en ese momento, Papá Noel pasó volando en lo alto.
—Ese si es un perrito con un verdadero espíritu Navideño —el gritó.

When the workers went to check on him the next day, Jingle was gone.

Cuando los trabajadores fueron a buscarlo al día siguiente, Jingle se había ido.

Santa had always wanted a dog for the North Pole, and Jingle loved it there.

Papá Noel siempre había querido un perro para el Polo Norte, y a Jingle le encantaba allí.

When the next Christmas arrived, Jingle asked Santa,
"Why don't you bring presents to all the nice doggies, too?"

Cuando llegó la próxima Navidad, Jingle le pregunto a Papá Noel:
—¿Por qué no traes regalos a todos los perritos buenos, también?

Santa laughed, "Because I just make presents for boys and girls!"

Papá Noel se echó a reír: —¡Porque solo hago regalos para niños y niñas!

That made Jingle so upset that he bolted across the snow.
"I'm bringing presents to all the dogs!" he barked.
Then he took off on Santa's sleigh.

Eso enfureció a Jingle que se disparó atravez de la nieve,
y después se despegó en el trineo de Papá Noel. –
–¡Voy a traer regalos a todos los perros! –el ladró.–

The problem was, Santa's sack
only had human presents,
but Jingle didn't care.

El único problema era que el costal de Papá
Noel solo tenía regalos para humanos,
pero a Jingle no le importaba.

Pebble the Pug
got a pretty pink dress!

¡Piedrita la perrita Pug
recibió un bonito vestido rosado!

Cookie the Collie
got a crazy cool computer!

¡Galletita la perrita Collie
recibió una computadora padrísima!

Buddy the Boxer got a big blue bicycle!

¡Buddy el perro Bóxer recibió una gran bicicleta azul!

As he flew onward, he was met in the air by another sleigh.
Mientras voló hacia arriba, se encontró con otro trineo.

"I'm Kitty Claus!" said a cat in a princess costume. "Follow me!"

–Yo soy Gatita Noel! –dijo una gata vistiendo un traje de princesa. –Sígueme.

Jingle followed Kitty Claus onto a snowy hill.
There he saw many other sleighs with animals at the helm.

Jingle siguió a Gatita Noel a una colina nevada.
Allí vio varios animales girando los trineos.

There was a Turtle Claus, a Bunny Claus, a Froggy Claus, and a Wormy Claus!

Había una Tortuga Noel, un Conejo Noel, una Ranita Noel, y una Lombriz Noel.

"We need a Doggy Claus," said Kitty Claus. "Would you like the job?"
–Necesitamos un Perro Noel, –dijo Gatita Noel. –¿Te gustaría ese trabajo?

"I sure would!" said Jingle.
They gave him a Santa suit, a bag full of dog toys, and a shiny sleigh.

–¡Claro que si! –dijo Jingle.
Le dieron un traje de Papá Noel, una bolsa llena de juguetes para perros, y un trineo brillante.

Doggy Claus soared into the night!

¡El Perro Noel se elevó hacia la noche!

The first place Jingle visited was his old shelter,
where many of his friends still lived.

El primer lugar que Jingle visitó fue su albergue viejo,
donde aún vivían muchos de sus amigos.

Jingle left each one of them a present.
He was sure the toys would finally lift their spirits, but they didn't seem any happier.

Jingle les dejó a cada uno un regalo.
El estaba seguro que los juguetes les levantaría el animo, pero no parecían más felices.

That's when Jingle realized he had been wrong all along.
Allí fue cuando Jingle se dio cuenta que había estado equivocado todo este tiempo.

He dumped out every last present in his sack and told all his friends to crawl inside.
Él descargó cada ultimo regalo del costal y les dijo a sus amigos que gatearan adentro.

Then Jingle revisited all the homes
that had happy dogs.

Después, Jingle volvió a visitar todas las casas
que tenían perros felices.

Pebble the Pug
got a puppy pal to play with!

Piedrita la perrita Pug
recibió un amigo perrito para jugar.

Cookie the Collie got a kitty
companion to cuddle with!

Galletita la Collie recibió una gatita
acompañante para acurrucarse.

Buddy the Boxer got a best buddy to bark with!

Buddy el Bóxer recibió un mejor amiguito para ladrar con él.

Now his friends were finally happy.
Ahora sus amigos finalmente fueron felices.

When Jingle arrived back at the North Pole, Santa was so glad to see him,
he forgave him for taking the sleigh.

Cuando Jingle regresó al Polo Norte, Papá Noel estaba tan contento de verlo,
que le perdonó por haberse llevado el trineo.

"So," said Santa, "Did you enjoy bringing presents to all the dogs?"
–Dime, –dijo Papá Noel, –¿Te dio gusto traer regalos a todos los perros?

Jingle jumped in Santa's arms and said, "They didn't need presents after all.
It turns out what dogs and cats and every creature on Earth
needs more than anything else on Christmas… "

Jingle brincó en los brazos de Papá Noel. –Después de todo no necesitaban regalos.
Resulta que lo que los perros y gatos y todas las criaturas en la Tierra
necesitan más que nada en Navidad…

"… is *love*."

… es *amor*.

For my new family
and all animals
who currently need one.